这是我的书
It's MY BOOK
6级：300字

谁家的可可

十二生肖

原作：胡一毕（Yibi Hu）
改编：秦志宁（Zhin

北京语言大学出版社
BEIJING LANGUAGE AND CULTURE UNIVERSITY PRESS

PHOENIX TREE
PHOENIX TREE PUBLISHING INC.

识　读 故事 动物 年 以前 鸡

句　型 为什么……？

字　数 301字

kě kě xǐ huan jiǎng gù shi bà ba shuō nǐ lái
可可喜欢讲故事，爸爸说：“你来
jiǎng wǒ lái huà hǎo bu hǎo kě kě diǎn dian
讲，我来画，好不好？”可可点点
tóu ràng wǒ xiǎng yi xiǎng wǒ lái jiǎng gè xiǎo
头：“让我想一想……我来讲个小
dòng wù de gù shi ba
动物的故事吧！”

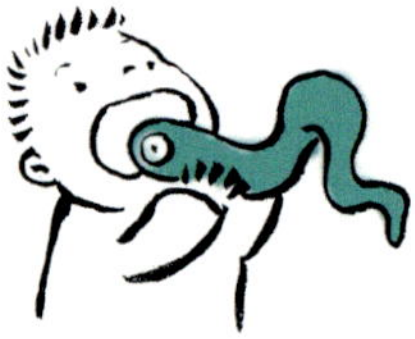

hǎo a kě kě shǔ tù dì di shǔ shé mā ma shǔ
“好啊！可可属兔，弟弟属蛇，妈妈属

yáng bà ba shǔ mǎ nǐ huì jiǎng shí èr shēng xiào de gù shi
羊，爸爸属马。你会讲十二生肖的故事

ma wǒ huì dì di chī le yì tiáo shé biàn chéng le xiǎo
吗？”“我会！弟弟吃了一条蛇，变成了小

shé mā ma chī le yì tóu yáng biàn chéng le xiǎo yáng
蛇；妈妈吃了一头羊，变成了小羊……”

kě kě nǐ de zhè ge gù shi yǒu diǎnr qí guài
“可可，你的这个故事有点儿奇怪
a bà ba nà rén wèi shén me yào shǔ dòng
啊！”“爸爸，那人为什么要属动
wù ne wǒ jué de zhè yě hěn qí guài a
物呢？我觉得这也很奇怪啊！”

hěn jiǔ hěn jiǔ yǐ qián rén men hái méi yǒu xué huì shǐ yòng shù
“很久很久以前，人们还没有学会使用数

zì tā men kàn jiàn yǒu hěn duō bù tóng de dòng wù jiù yòng dòng
字，他们看见有很多不同的动物，就用动

wù lái jì nián guò yì nián jiù gěi zhè yì nián qǐ gè míng
物来记年。过一年，就给这一年起个名

zi hóu nián mǎ nián jiù shì zhè me chuán xia lai de
字，猴年、马年……就是这么传下来的。”

kě kě shuō wǒ zhī dào shí èr shēng xiào li dōu yǒu
可可说："我知道十二生肖里都有

shén me dòng wù nǐ néng shǔ gěi wǒ tīng ting ma
什么动物！""你能数给我听听吗？"

néng shǔ niú hǔ tù lóng shé mǎ
"能！鼠、牛、虎、兔、龙、蛇、马、

yáng hóu jī yā é
羊、猴、鸡、鸭、鹅。"

bà ba xiào le méi yǒu yā hé é yīng gāi shì gǒu
爸爸笑了："没有鸭和鹅，应该是狗
hé zhū wèi shén me méi yǒu yā hé é dàn shì
和猪！""为什么没有鸭和鹅，但是
yǒu jī ne tā men dōu shì hǎo péng you a
有鸡呢？它们都是好朋友啊！"

rén men bǎ zì jǐ zuì xǐ huan de dòng wù fàng zài shí
“人们把自己最喜欢的动物放在十

èr shēng xiào lǐ miàn měi guò shí èr nián shǔ xiàng jiù
二生肖里面，每过十二年，属相就

chóng fù yí cì yì zhí chóng fù xia qu
重复一次，一直重复下去。”

1 可可喜欢讲故事，爸爸说："你来讲，我来画，好不好？"可可点点头："让我想一想……我来讲个小动物的故事吧！"

2 "好啊！可可属兔，弟弟属蛇，妈妈属羊，爸爸属马。你会讲十二生肖的故事吗？""我会！弟弟吃了一条蛇，变成了小蛇；妈妈吃了一头羊，变成了小羊……"

3 "可可，你的这个故事有点儿奇怪啊！""爸爸，那人为什么要属动物呢？我觉得这也很奇怪啊！"

4 "很久很久以前，人们还没有学会使用数字，他们看见有很多不同的动物，就用动物来记年。过一年，就给这一年起个名字，猴年、马年……就是这么传下来的。"

5 可可说："我知道十二生肖里都有什么动物！""你能数给我听听吗？""能！鼠、牛、虎、兔、龙、蛇、马、羊、猴、鸡、鸭、鹅。"

6 爸爸笑了："没有鸭和鹅，应该是狗和猪！""为什么没有鸭和鹅，但是有鸡呢？它们都是好朋友啊！"

7 "人们把自己最喜欢的动物放在十二生肖里面，每过十二年，属相就重复一次，一直重复下去。"

1

2

3

4

5

6

7